Rebecca Lisle

PIRLANTA TASMALI
KÖPEK

Türkçesi: Demet İlkbahar
Resimleyen: Tim Archbold

The Dog in the Diamond Collar, Rebecca Lisle

ISBN 978-605-5765-65-1

© Pupa Yayınları Ltd. Şti., 2010

1. basım: Ekim 2010

Kapak Resmi: Tim Archbold
Baskı ve Cilt: Özal Matbaası

PUPA YAYINLARI

YAYIN, DAĞITIM, SANAYİ VE TİCARET. LTD. ŞTİ.

Cemal Nadir Sk. Gürtunca Han, No. 9 D. 5 Cağaloğlu, İstanbul

Tel: (212) 511 90 99 Faks: (212) 511 87 58

www.pupayayinlari.com

pupa@pupayayinlari.com

Rebecca Lisle

PIRLANTA TASMALI KÖPEK

Türkçesi: Demet İlkbahar
Resimleyen: Tim Archbold

REBECCA LISSE'IN
PUPA YAYINLARI'NDAKİ
KİTAPLARI

Pırlanta Tasmalı Köpek
Siyah Kutudaki Çocuk
Çarpık Bacaklı Cüce

Rebecca Lisse, Leeds'de doğdu. Newcastle Üniversitesi'nde Botanik okuduktan sonra öğretmen olarak çalıştı. Çeşitli okullarda part-time öğretmenlik yaparken kısa hikâyeler ve romanlar yazdı. Evli ve üç oğlu var. Rebecca Lisle, Bristol'de gayri resmi bir yazı grubunun bir üyesi.

İçindekiler

1

Köpek Gelir

Joe ağaç evden baş aşağı sallandığı sırada köpeği gördü.

"Bahçemizde bir köpek var," dedi. "Siyah-beyaz bir köpek. Sence kayıp mı olmuş?"

"Evet," dedi Laurie.

"Şanslı," dedi Theo. İçlerinde en küçüğüydü ve sadece ağacın en alt dallarına tırmanmaya izinliydi. Aşağı indi. "Köpek istiyorum."

"Ben de," dedi Laurie, ona uyarak. Köpeğin etrafını sardılar ve onu sevdiler. Sevimli bir köpekti. Sırt üstü uzanarak onlara pembe karnını gösterdi ve kuyruğunu salladı.

"Tasmasında pırlantalar var," dedi Theo. "Şanslı. Pırlantaları severim."

"Saçmalama, köpekler pırlanta takmaz," dedi Joe. İçlerinde en büyüğüydü.

"Eğer zenginlerse takarlar," dedi Theo köpeğe sarılarak. "Köpeği alıyorum."

"Biz köpeği alıyoruz, demek istiyorsun," dedi Laurie.

"İsmi yazmıyor," dedi Joe. Köpeğin tasmasını inceledi. "Sahibi gelene kadar ona bakmalıyız."

"Ne isim verelim?" diye sordu Laurie.

"Ben ona Clinky diyeceğim," dedi Theo. "Clinky Monkey."

"O maymun değil. Saçmalama!" dedi Joe.

"Saçma bir isim," diyerek katıldı Laurie. "Hiç de maymuna benzemiyor."

"Onda maymun zekâsı var," dedi Theo. "Ben derim, onun adı Clinky Monkey."

Clinky Monkey onların evini sevdi. Çocukları sevdi. Geceleri onların yatağında uyudu. Onlarla futbol oynadı.

Köpeği tarif eden bir kayıp ilanı olmadığından anneleri köpeğin kalmasına izin verdi.

Beş gün sonra yerel televizyonda şu haberi gördüler:

"Multimilyoner Frankie Potts-Smythe'in dokuz yaşındaki oğlu Timothy Potts-Smythe, dün erken saatlerde Bristow, Pembroke Caddesi'ndeki evinden kaçırıldı. Nerede olduğuna dair hâlâ bir iz yok..."

"Köşedeki büyük evlerden biri," dedi Joe. "Keşke biri beni kaçırsa. Müthiş olurdu!"

"Bence de," dedi Laurie, "Böylece kriket sopan benim olurdu."

Ardından kaçırılan çocuğun resmi televizyonda göründü. Uzun düz saçlı, gözlüklü ve büyük kulaklıydı.

"Hadi canım, ne saçma!" dedi Laurie. "Kim onu kaçırmak ister ki?"

Timothy Potts-Smythe'in resmi ekranda göründüğünde Clinky Monkey birden zıpladı. Havladı ve televizyonu tırmaladı.

"Onu tanıyor gibi görünüyor," dedi Joe. "Belki Timothy Clinky'nin gerçek sahibidir."

"Hayır," dedi Theo. "Onun gerçek sahibi benim, çünkü o benim." Köpeğin başını okşadı. Clinky kuyruğunu salladı. "Bakın, kuyruğunu sallıyor, çünkü o benim köpeğim."

"Clinky Monkey'yi şimdi teslim etmeye dayanamam," dedi Laurie. "Onu seviyorum. Annem, asla köpek alamayacağımızı söylediğini neredeyse unuttu. O da onu sevdi."

"Ama Clinky o çocuğun köpeğiyse," dedi Joe, "onu gerçekten geri götürmeliyiz. Pembroke Caddesi çok uzak değil. Neden gizlice gitmiyoruz?"

2

Bay Peyniradam

Potts-Smythe'lerin evini bulmak zor olmadı; haber bekleyen muhabirler, meraklılar ve kameramanlar evin önünde büyük bir kalabalık oluşturmuşlardı.

Çocuklar kalabalığın arasında sıkışmışlardı. Çok iri bir polis büyük demir kapının önünde bekliyordu. Tam da güneşin altında duran polisin yüzünü kaplayan ter damlaları bıyığından damlıyordu.

Kapıdan büyük eve doğru bakan Laurie, "Ooo! Rüya gibi bir yer!" dedi.

Theo, Clinky Monkey'yi ipinden tutuyordu. Kapıya yaklaştıkları anda köpek hırıldamaya başladı. Sanki bir şeyi ortaya çıkarmak istiyormuş gibi yeri eşeledi. Theo, onu ipinden çekti.

Theo onu tutmaya çalıştı, fakat Clinky aniden bir roket gibi fırladı ve Theo, Clinky'nin ipini elinden kaçır-

dı. Clinky polisin bacaklarının yanından geçti ve demir parmaklıkların arasından geçerek Potts-Smythe'lerin bahçesine koştu.

Polis etrafında fırıl fırıl dönerek, "Ay!" diye bağırdı. "Kimse oraya giremez!"

"Clinky! Clinky!" diye bağırdı Theo.

Kalabalığı oluşturan insanlar ona baktılar.

"Hey, Polis Bey, içeri girip köpeğimizi alabilir miyiz?" dedi Laurie.

Polis dik dik baktı. "Kimse oraya giremez," dedi.

Theo daha yüksek sesle yalvardı: "Benim maymunum!" diye ağladı. "Clinky Monkey!"

Şimdi herkes Theo'ya bakıyordu.

"Zavallı küçük. Mesele nedir?" diye sordu biri.

Theo bıyıklı polisi gösterdi. Biraz daha ağladı. "O!"

"Polis canını mı acıttı?" diye sordu muhabir hızla Theo'nun fotoğrafını çekerken. Not almak için not defterini eline aldı.

"Ona elimi sürmedim," dedi polis, bıyıklarını emerek. Eğildi ve Joe'ya fısıldadı: "Gerçekten köpeğin maymun olduğunu mu düşünüyor?"

"Ne? Ah, evet," dedi Joe. "O biraz, bilirsiniz, kafasında komik şeyler uydurur ve biz ona gülmeliyiz, aksi takdirde gerçekten kötü olur. Korkunç. Her şeyden ayrılabilir, ama Clinky'den asla."

Polis Theo'ya doğru baktı. "İyi görünüyor," dedi.

"Ben iyiyim," diye bağırdı Theo. "Neredeyse dört yaşındayım!"

Muhabir söze karıştı: "Ah, küçük çocuğa izin verin de içeri girip köpeğini alsın, Memur Bey."

"Lütfen," diye yalvardı Laurie. "Clinky'i geri alana kadar ağlamayı bırakmayacak."

Polis, yüzü çok kırmızı genç bir polisi yanına çağırdı. "Onları içeri alın," dedi. "Şu kahrolası köpeği bulun."

Kırmızı suratlı genç polis büyük kapıları açarken kalabalık alkışladı.

"Neden kaçtığına dair bir fikriniz var mı?" diye sordu polis.

"Kedi," dedi Joe, dirseğiyle Theo'yu dürterek.

"Hayır, o değil, Joe!" dedi Theo hıçkırarak. "Clinky burada yaşadığını düşünüyor!"

Joe kaşlarını kaldırıp kafasıyla da daireler çizerek Theo'nun deli olduğunu ima etti. "Deli. Gerçekten deli," diye sessizce söylendi.

Bahçede Clinky Monkey'ye ait hiçbir iz yoktu.

Kırmızı suratlı polis üç çocuğun evin ötesine ve turkuvaz rengi yüzme havuzuna süpürülmüş çimen yığınlarının ötesine gitmelerine izin verdi. Havuzun ilerisinde, takım elbiseli zayıf, uzun boylu bir adam şezlongda oturmuş, cep telefonuyla konuşuyordu. Çocukların kendine doğru yaklaştıklarını fark etmedi bile.

"Affedersiniz beyefendi," dedi kırmızı suratlı polis.

Zayıf adam altında bomba patlamış gibi havaya fırladı. Cep telefonu elinden uçtu.

"Affedersiniz beyefendi," dedi polis tekrar. "Sizi korkutmak istememiştim. Siz Bay Peyniradam mısınız? Kâhya?"

Bay Peyniradam başını salladı. Küçücük ağzına zor sığan çok sarı dişleri vardı.

"Beyefendi, ben polis memuru Len Bartlett, bu ço-

cuğun kaçan köpeği Clinky'i arıyorum." Başıyla Theo'yu gösterdi ve göz kırptı. "O biraz, bilirsiniz," diye ekledi.

Bay Peyniradam ona boş boş baktı. "Neyiniz var memur bey? Yüzünüzü neden öyle yapıyorsunuz? Deli misiniz?"

"Maymunum," diye içini çekti Theo. "Maymunum nerede?"

"Ne demek istediğimi anladınız değil mi?" diye fısıldadı kırmızı suratlı polis.

"Neden bahsettiğinizi anlamıyorum," dedi Bay Peyniradam. "Bu bahçede ne yapıyorsunuz?"

Birden Clinky Monkey çalıların arasından fırlayarak Bay Peyniradam'a koştu ve bileklerini ısırmaya çalıştı. Ona öfkeyle havladı.

"Bu köpeği tanıyor musunuz beyefendi?" diye sordu kırmızı suratlı polis.

"Hayır."

"Sizden hoşlanmaması ne kadar tuhaf, değil mi beyefendi?"

Bay Peyniradam dik dik baktı. Ağzı daha da küçüldü. Ayaklarını Clinky'den kurtarmaya çalıştı. "Onu daha önce asla görmedim. Götürün onu buradan!"

Sonra Bay Peyniradam cep telefonunu Laurie'nin tuttuğunu fark etti. "Telefonumla ne yapıyorsun? Ver onu bana!"

"Özür dilerim!" diyerek telefonu ona doğru attı.

"Suya dikkat et!" diye bağırdı Bay Peyniradam. Bir kaleci gibi atıldı, telefonu yakaladı ve aşırı miktarda su sıçratarak havuza düştü.

"Hay allah, affedersiniz," dedi Laurie.

Bay Peyniradam'ın havuzdan çıkmasına yardım ederken kırmızı suratlı polisin yüzü daha da kızardı.

"Ufak bir kaza oldu, beyefendi," dedi.

Güçlükle havuzdan çıkarken, "O küçük canavarı boğacağım!" dedi Bay Peyniradam. "Şimdi..."

Fakat üç çocuk da ortalıkta görünmüyordu.

3

İlk İpucu

Çocuklar eve doğru koşarlarken yol boyunca gülüştüler.

İçeri girince, "Peki," dedi Joe. "Görünen o ki Clinky Monkey Potts-Smythlere ait."

"Hayır, o *buraya* ait," dedi Theo.

"Peynirsurat neden Clinky'i tanımıyormuş gibi yaptı?" diye sordu Laurie. "Clinky *onu* tanıyordu."

"Evet. Ve o gerçekten çok sinirliydi, değil mi?" dedi Joe. "Bahse girerim suçluluk duygusundan."

"Neden?" diye sordu Theo.

"Bilmem – belki Timothy'i o kaçırmıştır."

"Hah! İşte benim şüphelendiğim şey de bu," dedi Laurie, "Telefonunu aldığım sırada kimi aradığını öğrenmek için 1471'i aradım."

"Bay Peynirebenzeyen aradı," dedi Theo. "Onu gördüm."

"Kimi aradığını bulmak için demek istedim. Böylece elimizde ipucu olacak."

Joe ev telefonunu eline aldı. "Bay Peyniradam'ın aradığı numara neydi, Laurie?"

Joe, Laurie'nin söylediği numarayı çevirdi.

"Bristow Hayvanat Bahçesi. Ben Mary, nasıl yardımcı olabilirim?" dedi hattın diğer ucundaki ses.

Joe, "Affedersiniz, yanlış numara!" diyerek telefonu kapattı.

"*Hayvanat bahçesi?*" dedi Laurie.

Joe omzunu silkeledi. "Tuhaf!"

O gece üç çocuk televizyonda yerel haberleri izlediler. Kaçırma olayı yine en önemli konuydu.

Fidye notu gelmişti ve kaçıranlar altı milyon pound istiyorlardı. Polis ise kaybolan çocuğu bulma konusunda pek ilerleyememişti.

Elyazısı ve Sahtecilik Bölümü'nden bir uzman fidye notunu inceledi.

Uzman "El yazısı, yazanın tespit edilememesi için akıllıca değiştirilmiş," dedi. "Sağ elle yazan birinin sol eliyle bu yazıyı yazdığını düşünüyoruz. Kasten imla hataları yapılmış. Tamamen karmakarışık. Çok çok zekice bir çalışmanın ürünü."

"El yazısı tıpkı seninkine benziyor Joe," dedi Laurie.

"Ha, ha! Bu da ne demek?"

"Sen yazdın demek Joe," dedi Theo.

Muhabir tiksintiyle yüzünü buruşturarak, "Ve kötü kokuyor," diye devam etti. "Koku ayrıca kimin yazdığını bulmak için bir ipucudur. Şu anda Kokular ve Anlaşılamayan Aromalar Bakanlığı'ndan bir uzman kötü kokuyu araştırmaktadır."

"Hiçbir şey bilmiyorlar," dedi Joe. "Bahse girerim Timothy Potts-Smythe'i biz onlardan önce buluruz.

Hadi kılık değiştirerek Pembroke Caddesi'ne yeniden gidelim, böylece kimse bizi tanıyamaz."

"Kovboy olalım," diye öneride bulundu Laurie.

"Aptallaşma. Hayır, saçlarımı arkaya doğru jöleleyeceğim. Bu beni güneş gözlüğümle çok havalı gösterir. Sen babamın eski şapkasıyla annemin kırmızı fularını takabilirsin. Çizgili tişört'ünü de giyince Fransız gibi görünürsün."

Theo'nun kılık değiştirerek kendisini gizleyebileceğinden emin olmadıkları için onu evde bıraktılar.

Pembroke Caddesi'ne doğru yürürlerken Laurie, Fransız aksanı denemeleri yaptı.

"Bonjour, Monsieur Peynirsurat! Eyfel Kulesi. Oo, la la!"

"Umarım Fransızca bilen birileriyle karşılaşmayız," dedi Joe.

Potts-Smythe'lerin köşkünün önü eskisi kadar olmasa da hâlâ kalabalıktı. Ne yazık ki, yine kırmızı suratlı polis ile bıyıklı polis görev başındaydı.

"Hadi arka taraftan dolaşalım," dedi Joe. Evin arka tarafına giden dar sokağı dönünce Kâhya'yı, Bay Peyniradam'ı bahçe duvarına tırmanırken gördüler. Etrafı kolaçan ettikten sonra duvardan sokak tarafına atladı ve dükkânların olduğu yöne doğru hızla uzaklaştı.

"Şüpheli görünüyor," dedi Joe.

Bay Peyniradam'ı sandviççiye kadar takip ettiler. Fıstık ezmesi ve reçelli beyaz ekmek aldı.

"Ben onun sevdiği şeyin bu olduğunu düşünmemiştim," dedi Joe.

"Değil zaten, o onun sandviçi," dedi Laurie.

"Ha, ha."

Sonra Bay Peyniradam tatlıcı dükkânına girdi.

Çocuklar da gizlice dükkâna girdiler. Kâhya üç tane kutu kola, beş paket cips ve dört tane çikolata aldı.

"Güzel yiyecekleri seviyor, öyle değil mi?" dedi Laurie. "*Bizim* sevdiğimiz türden yiyecekleri."

Bay Peyniradam çıktıktan birkaç saniye sonra harekete geçtiler. Böylece Peyniradam takip edildiğini anlamayacaktı. Fakat ortadan kaybolmuştu.

"Bence şu yol," dedi Joe, caddeye doğru dönerek.

Birden zayıf bir el göründü. Onu yakasından yakaladı ve dar sokağa doğru çekti.

"Hey!" Joe etrafına bakındı ve karşısında Bay Peyniradam'ın suratını buldu. Kalbi fena oldu. "Ah, uff."

Kâhya çirkin sarı dişlerini gösterdi. "Beni takip mi ediyordunuz?"

"Bonjour, monsieur," diye bağırdı Laurie. Denizci şapkası alnına doğru kaydı ve fularıyla ve çizgili tişörtüyle küçük bir Fransız pazarcıya benzedi.

"Bonjour."

Bay Peyniradam, Joe'yi bıraktı. "Ne?"

"Oui, oui," dedi Laurie gülerek. "Ah, bien, oui, oui, oui."

"Ne?" Bay Peyniradam kuşkuyla bir ona bir öbürüne baktı. "Çocuklar sizi tanımadım mı?"

Joe'nun gözlerinin içi cesaret verici bir şekilde parladı. "Oui." Başını salladı ve güldü. "Bonjour. Oui."

"Beni takip ediyordunuz," dedi Bay Peyniradam, Laurie'yi sarsarak. "İkinizi de gördüm."

"Oh, la la!" diye bağırdı Laurie ellerini sallayarak. "Le Eyfel Kulesi, eh bien, oui, oui, oui. Eh, non, non, non." Umutsuzca daha fazla Fransız olmaya çalışıyordu. "Un, deux, trois. Le chat."

"Burada bir tuhaflık var," dedi Bay Peyniradam. "Biraz İngilizce biliyor olmalısınız?"

"Konuşmak İngilizceee? Lütfeeen?"

"Ah, unut gitsin. Allah'ın cezası yabancılar. Savaşı ne için kazandık? Bilmek istediğim şey bu. Sizi tekrar görürsem, siz onun içinsinizdir!" Döndü ve gitti.

"Ondan sonra!" diye bağırdı Joe.

Çalıların arasına girerek, dükkânların girişlerine gizlenerek Kâhya'yı takip ettiler. Yol boyunca dükkânları geçtiler, parkı geçtiler, ta ki sonunda durana kadar...

Hayvanat bahçesinde.

4

Bristow Hayvanat Bahçesi

Joe ve Laurie'nin hayvanat bahçesine girecek paraları olmadığından olanları Theo'ya anlatmak için eve gittiler.

"Kaçırılan çocuğun da orada olduğunu düşünüyoruz," dedi ona Joe. "Oraya gitmeli ve araştırmalıyız."

"Ve sen gelemezsin," diye ekledi Laurie.

"Gelebilirim," dedi Theo. "Ve Clinky Monkey de gelebilir."

"Köpekleri hayvanat bahçesine sokamazsın," dedi Laurie.

"Clinky gelmek istiyor! *Ben* gelmek istiyorum!"

"Sessiz ol Theo. Gerçekten Laurie o kadar da kötü bir fikir değil biliyorsun," dedi Joe. "Eğer Potts-Smythe'lerin oğlu hayvanat bahçesindeyse ve Clinky

onu tanıyorsa −ki ben tanıdığına eminim, onu kokla-
yarak bulacaktır."

"İyi de köpeği nasıl hayvanat bahçesine sokaca-
ğız?" dedi Laurie.

"Yine kıyafet değiştirerek."

"Evet," dedi Theo. "Clinky kaplan olabilir."

"Daha iyi bir fikrim var," dedi Joe, esrarengiz bir
şekilde.

O gece yatakta olmaları gereken sırada Laurie ve
Joe, eski çocuk kıyafetlerinin saklandığı büyük dolabın
bulunduğu Theo'nun odasına gizlice girdiler.

"Dışarı çıkın," diye söylendi Theo. "Uyuyorum."

"Sessiz ol," dedi Joe. Dolap kapağını açarken gıcırdadı.

"Sessiz ol!" dedi Theo. "Beni uyandıracaksınız!"

"Özür dileriz. Clinky için bazı şeyler gerekiyor," dedi Laurie.

"Hah, burada. Sadece bir şey," dedi Joe, eski bir bebek tulumunu çıkarırken.

"O benim!" dedi Theo.

"Sen büyük bir çocuksun ve büyük çocuklar bebek tulumu giymezler, giyerler mi?"

Theo onları kuşkuyla izledi.

"Bazı büyük çocuklar giyer," dedi.

Ertesi sabah Clinky Monkey'ye bebek tulumu giydirdiler. O bundan hoşlanmadı. Şapkadan da hoşlanmadı; onu yemeye kalktı. Mavi ayakkabılar giymekten utanıyordu.

Onu bebek arabasının içine koyup bağladılar ve onu mavi bir battaniyeye sardılar. Bebek arabasının gölgeliğini kafasının üzerine doğru indirdiler. Yaptıkları işi hayranlıkla izlemek için geriye çekildiler.

"Zekice. Tıpkı sıradan bir bebek gibi. İşte biraz çikolata Theo. Görevin onu sessiz olmasını sağlamak."

"Tamam," dedi Theo, çikolata tanesi yiyerek.

"Bunu yapma! Onlar köpek çikolatası – havlamaya başlayabilirsin."

"Joe, eğer Timothy'i bulursak," dedi Laurie, "Clinky'i geri vermeyecek miyiz?"

"Hayır, dert etme. Clinky'i onu bulmamızın ödülü olarak isteyeceğiz," dedi Joe. "Hepsini planladım."

Otobüs hayvanat bahçesinin kapısında durdu. Galler'den gelen büyük bir turist kafilesi kaldırıma yığıldı. Joe bebek arabasını dikkatlice onların arasına doğru itti. "Gruptanmışız gibi yapın," diye fısıldadı, "Aksi takdirde girmemize izin vermeyecekler."

Laurie gözlüklü iri bir kadının yanına doğru sürüklendi.

"Ne yapıyorsunuz?" dedi. "Annenizin yanında olmalısınız."

"Annem çocuk bezi almak için arabaya kadar gitti," dedi Laurie sırıtarak. Burnunu tutarak bebek arabasını işaret ederken ekledi. "Koku için özür dilerim."

Gözlüklü kadın geri çekildi.

Sonunda turnikelere ulaştılar. Laurie hemen yanındaki çocukla sohbete başladı, Joe annesine saati sordu, Theo çikolata tanelerinden yedi ve gişedeki kadın hepsinin geçmesine izin verdi.

"İçerdeyiz!" diye bağırdı Laurie. Bebek arabasını aşırı hızla iterek ilerledi. "Hadi Timothy'i bulalım!"

5

Timothy

Girişin yakınlarında hayvanat bahçesinin büyük bir haritası vardı. Çocuklar haritayı incelemek için durdular.

"Zengin Timothy'i nereye saklamışlardır?" dedi Joe.

"Solucanların olduğu yerdedir," dedi Laurie. "Sürüngene benziyordu. Yüzünden hiç hoşlanmadım."

"Zengin olmak insanı tuhaf gösteriyor," dedi Joe.

"O halde sen milyoner olmalısın!" dedi Laurie.

"Ha, ha."

"Joe, Joe..." Theo Joe'nin tişörtünü çekiştirdi.

"Ne var?"

"Clinky. Bütün çikolataları yedi bitirdi, arabadan çıkmak istiyor."

"Tamam, sakın bırakma."

"Ama Joe!" Theo kendini Clinky'nin üzerine attı. "Onu tutamıyorum!"

"Bebek kardeşiniz iyi mi?" Onları izleyen kadın yanlarına geldi ve bebek arabasının içine baktı. "Üzgün görünüyor."

"Defol," dedi Theo etrafına bakmaksızın.

"Böyle yaparak onu inciteceksin..." diye devam etti kadın. "Bırak bakayım."

"Ah, o iyi," dedi Joe, bebek arabasını hızla sürerek.

"Ama tuhaf bir ses çıkarıyor!" Onları takip etti, bebek arabasının içine bakmaya çalıştı.

"Krize girdi," dedi Joe, büyükannelerinin köpeğinin krizleri olduğunu hatırlayarak. "O epi-epi-epileptrisiti idi. Öyleydi."

"Zavallı şey, epilepsi? Yardım edemez miyim? Ben..."

"Aa, bak, annem!" diye birden bağırdı Laurie. Arabayı kaparak, çevirdi ve flamingoların olduğu yere doğru sürdü.

"Of! Az daha yakalanıyorduk," dedi Joe. "Neyse ki Clinky'nin uzun siyah burnunu görmedi, yoksa gerçekten üzülürdü."

Flamingoları ve örümcek maymunlarını geçerek ayıların olduğu bölümün duvarının önüne geldiler. Uyarı levhasında şöyle yazıyordu:

BU BÖLÜM GEÇİCİ OLARAK BOŞTUR.
YENİ AYILARIN GELMESİ BEKLENİYOR.

Clinky Monkey birden bağırmaya başladı. Kıvranarak kayışlardan kurtulmaya çalıştı.

"Tut onu!" dedi Joe.

"Eyvah!" dedi Theo.

Clinky bebek arabasından takla atarak fırladı. Parmaklıkların üzerini aşarak ayı bölümüne düştü. Kaya-

lardan yuvarlandı ve dipteki çalıların arasında kaybol-
du.

Yakınlarda olan bir çift de her şeyi gördü.

Genç kadın kocasının kolunu dürttü. "Sarı - mavi
tulumlu bebeğin ayı çukuruna düştüğünü gördün
mü?" dedi.

Kocası başını kaşıdı. "Bir şey gördüm, ama... Ço-
cuklar? Hey, çocuklar, o neydi? Biz..."

"Clinky Monkey'di!" diye bağırdı Theo. "Onu isti-
yorum!"

"*Maymun?*"

"Evet," dedi Laurie. "Clinky Monkey, hayvanat
bahçesinin. Biz onu dolaşmaya çıkarmıştık. Annesini
kaybetmiş, yetim."

"Evet," dedi Joe, "Babamız burada çalışıyor ve ona
yardım ediyoruz. Ayı çukuruna gidip onu getireceğim.
Girmeye iznim var."

Kadın kıkırdadı. "Ne saçma," dedi. "Biz bebek san-
mıştık."

"Ha, ha," diye güldü Laurie. "Ha, ha, ha. Hoşça
kalın." Bebek arabasını hızla sürdü. Joe ve Theo da ar-
kasından koştular.

"Clinky'i istiyorum," dedi Theo. "Clinky Monkey!"

"Şişşt! Onu alacağım," dedi Joe.

"Öyleyse devam et," dedi Laurie. "Biz nöbet tuta-
rız."

Ayı çukuruna geri döndüler. Ortalıkta kimse yokken Joe çabucak çitleri ve çukurun dibindeki kayaları aştı. Ayıların uyuduğu mağaralardan geçti. İğrenç kokuyordu –rutubetli kürk, çürük et ve ayı çişi kokuyordu. Burnunu tutarken kirli yerde parmaklarının ucuna basarak yürüdü.

"Clinky? Clinky?" diye yavaşça seslendi.

Birden itişme ve burun kaşıma sesi ve hafif bir homurdanma duyuldu. Joe yutkundu. Olduğu yerde kalmıştı. Ya o uyarı levhası yanlışsa ve burada ayı varsa? Büyük, saldırgan bir ayı?

Hareket edemedi. Kalp atışları hızlanmıştı ve deli gibi atıyordu. Şimdi bir şey ona doğru geliyordu, pençelerinin taşlar üzerinde çıkardığı sesi duyabiliyordu...

"Clinky! İşte buradasın!"

Clinky seviçle kuyruğunu salladı, havladı, sonra tekrar koştu. Joe onun arkasından gitti.

Kayaların arkasına saklanmış bir hapishane vardı. İçeride solgun, zayıf, gözlüklü ve uzun saçlı bir çocuk kutunun üzerinde oturuyordu. *Küçük Suaygırının Gizli Hayatı* adlı bir kitabı okuyordu.

O çocuk Timothy Potts-Smythe idi. Joe ve çocuk birbirlerine baktılar.

Joe, "Merhaba," dedi.

"Merhaba," dedi Timothy. Kitabı kapatmadan önce zürafa şeklindeki ayracı dikkatle yerleştirdi. "Bu benim

köpeğim Thufty. Bazı embesiller ona bebek kıyafetleri
giydirmişler."

Joe embesilin ne demek olduğunu bilmiyordu, ama
iyi bir şey olmadığı belliydi. "Kılık değiştirmek için,"
dedi. "Senin için altı milyon pound fidye isteniyor."

"Biliyorum. Fidye notunu ben yazdım," dedi Timo-
thy.

"Ne?"

"Ben yazdım. Uzmanların kokuyu tespit edeme-dikleri doğru mu? Ayılardı. Onlar pis kokarlar."

"Burada ne yapıyorsun?"

"Pekâlâ," dedi Timothy, bacak bacak üstüne attı, "Kaçırılmayı ben ayarladım. Benim ailem kâbus gibi, evde hayvan beslememe izin vermiyorlar halbuki ben hayvanları çok severim. Ailem acayip zengin, ama paralarını neye harcıyorlar? Bir safari parkı *alıp* nesli tükenmekte olan hayvanlara yardım edecekleri yerde tatillere, işe yaramaz yatlara, lükse ve züppe okullara harcıyorlar. Hayvanat bahçesi sahibi *olabilirler*. Bana çita ya da yavru bir fil ya da küçük bir suaygırı *alabilirler*."

"Ebeveynlerin çoğu bunu yapamaz," diye belirtti Joe.

"İyi olanlar yapar. Yine de, Kâhya Peynirebenzeyen, bu kaçırma oyununda yer aldı. Arkadaşı Mungby burada çalışıyor. Hayvanat bahçesinde olmak müthiş bir şey. Burada saklanabilirim *ve* hayvanları görebilirim."

"Ama ailen dönmeni istiyor."

"Baş belaları. Bana ve Peynire benzeyene üçer milyon pound vermeden beni göremezler."

"Ama seni bulduk ve kurtarmaya geldik," dedi Joe.

"Bu senin sorunun," dedi Timothy. "Kimse sizden

bulmanızı istemedi. Ne yaparsanız yapın ailemden ödül almayı başaramayacaksınız. Elleri sıkıdır."

"Ne söyleyeceğimi bilemiyorum," dedi Joe.

"İyi, bir şey söyleme. Sadece beni yalnız bırak."

"Peki ya Clinky?"

"Tufty mi demek istiyorsun? Onu gardıropta saklamalıydım, çünkü annem ve babam evde hayvan beslememe izin vermiyorlar. Peynirebenzeyen ondan nefret ediyor. Onun da Peynirebenzeyen'i sevdiğini sanmıyorum. Şimdilik sizinle kalması iyi olur."

"Gece burada tek başına korkmuyor musun?"

"Hayır, çok iyi oluyor. Dolaşıyorum ve hayvanlarla konuşuyorum. Bilirsin, baş edebilirim."

"Yapabiliyor musun? Eğlenceli görünüyor."

"Öyle. Dinle, burada sadece bir tane kaçırılmış çocuk için oda var, aklına bile getirme."

"Merak etme, kalmayacağım."

Joe, Clinky'i koltuğunun altına aldı ve pis kokan ayı çukurundan olabildiğince çabuk bir şekilde çıktı.

6

Peyniradam'ı Kandırma

Hayvanat bahçesi kapanmak üzereydi. Üç çocuk ana kapının dışındaki bankta oturmuş, dondurma yiyordu.

"O hayranlık uyandıran evi ve bahçeyi düşünüyorum da! Tatiller, yatlar ve diğer şeyler... Çatlak Potts-Smythe'in hayvanat bahçesinde kalmasının nedeni nedir? Her şeye sahip," dedi Joe.

"Her şeyi yok," dedi Theo. "Bana sahip değil."

"Herkes seni istemez," dedi Laurie somurtarak.

"Ve *sana* da sahip değil Laurie," diye devam etti Theo. "Ya da Clinky'e ya da anneme ya da Joe'ye."

"Ama onları istemezdi."

"Ama o bunlara *sahip* değilken biz sahibiz. Hayvanat bahçelerinde saklanmıyoruz."

"Haklı," dedi Joe.

"Neredeyse dört yaşında olmamın nedeni de bu."

"Şişşt! Bak!" dedi birden Laurie. "Peynirsurat orada."

Dondurmalarıyla yüzlerini gizlediler. Kâhya saatine bakmaya devam etti. Birini bekliyordu. Birkaç dakika sonra tepeden tırnağa yeşil kıyafetli hayvanat bahçesi çalışanı ona katıldı.

"Mungby olduğuna bahse girerim," dedi Joe. "Ne konuşuyorlar acaba?"

"Öğreneceğim," dedi Laurie. Bebek battaniyesine sarındı. Bebek arabasına oturmaya çalışarak gölgeliği üzerine çekti. Topuklarını yere vura vura gerideki iki adama doğru gitti.

Peyniradam ve Mungby o kadar koyu bir sohbete dalmışlardı ki, arkalarından kendi kendini iten bir bebek arabasının yaklaştığını dahi fark etmediler.

"... ödemeyecekler," diyordu Peyniradam, sinirlice. "Aptal çocuk altı milyon pound istedi!" Homurdandı. "Ve saçmalığa bak ki bunu onunla paylaşacağımı düşünüyor! Deli çocuk."

"Çok deli," dedi Mungby. "Orada olmayı, hayvanlarla konuşmayı sevdiğini söylüyor. Dinle Peyniradam, ayılar yarın geri geliyor..."

"Tüm zamanların en müthiş planı ve çocuk onu mahvetti," diye kesti Bay Peyniradam.

"Onu daha az istemeye ikna edemez misin?"

"Denemedim mi sanıyorsun? Kendi safari parkı olsun istiyor ve bunun için üç milyon poundu olmalı. Hayır. Pes ettim. Bırak ayılar girsin içeri. Hayvanları seviyor, onun için bir zevk olacaktır."

"Peyniradam! Onu öldürecekler!"

"İyi. Beni bir zahmetten kurtarır. Düşünsene Mungby, eğer serbest kalırsa her şeyi anlatır. Hapse gireriz. O yüzden ölmeli. Kaza gibi gözükecek. Zekice."

İki adam tokalaşarak ayrıldılar.

Laurie geri döndü ve duyduklarını diğerlerine anlattı.

"Eyvah," dedi Joe. "Canlı, gerçek bir cinayet! Timothy'i uyarmalıyız!"

7

Timothy'i Kurtarma

Laurie ve Joe ertesi sabah erken saatlerde hayvanat bahçesine gittiler. Ortalıkta arasına karışıp saklanabilecekleri bir kalabalık bulamayınca yeni bir plan yapmaları gerekti.

Joe tatlı tatlı gülümseyerek gişeye gitti. "Affedersiniz, küçük kardeşim oyuncak kaplanını burada kaybetmiş, onu geri almalıyız."

"Ühüüü," diye ağladı Laurie gözlerini ovuşturarak. "Oyuncak kaplanımı istiyorum. Kaplan Lickle benim en sevdiğim hayvanım."

"Ah canım, zavallı yavrucak," dedi kadın. "Telefonla içeride bulunup bulunmadığını öğreneceğim."

"Rahatsız olmayın," dedi hemen Joe. "Biz hemen girip buluruz."

"Nerde olduğunu biliyorum," dedi Laurie. "Peluş

flamingoların yanındaki çalıların arasına düşürdüm."

Joe onu tekmeledi.

"Anneniz olmadan girmenize izin vermemeli-yim..." dedi kadın.

"Orada, üç tekerlekli arabada," dedi Joe belli belir-siz bir yerleri göstererek. "Uyuyorlar."

"Ah, triportör?" Sokağa çıktı.

"Evet. İlk kez hepsi birden on altı saattir uyuyorlar."

"On altı? Nasıl beceriyor? O..."

Ama çocuklar ortadan kaybolmuşlardı.

Ayı kafeslerine ulaşana kadar hayvanat bahçesinde yarıştılar. Ayı çukurunun dibine doğru baktılar.

İki tane kocaman tüylü kahverengi ayı sessizce kafeste dolaşıyorlardı.

"Ah, hayır! Çok geç!" diye bağırdı Joe.

"Onu yemişler! Polisi aramalıyız. Birisine haber vermeliyiz." Oturdu. "Onu yeni yemişler gibi duruyor mu? Kan ya da başka bir şey var mı?"

"Hayır," dedi Laurie çukura dikkatle bakarak. "Ah, evet. Bak. Bir ayak görebiliyorum ve bak, pantolon paçası!"

"İğrenç! Kusacağım," diye inledi Joe, karnını tutarak.

"Ve başka bir bacak ve kol ve..."

Joe birden irkildi. "Ne?"

Timothy oradaydı ve tek parça halindeydi.

"İğrençsin, Laurie! Bunun için suratının ortasına bir yumruk atmalıyım!" dedi Joe.

"Beni zaten tekmelemiştin. O yüzden bunu hak ettin."

"Hey! Timothy!" diye seslendi Joe. "Benim. Oradan çıkmalısın. O ayılar tehlikeli!"

"Merhaba!" diye seslendi onlara Timothy. "Bana bir şey yapmazlar. Ben hayvanlarla konuşabiliyorum."

"Kesinlikle, tabii ki konuşabilirsin," dedi Joe alçak sesle. Sonra daha yüksek bir sesle: "Buraya gel. Lütfen? Seninle konuşmalıyım."

"Oh, tamam." Timothy tırmandı. "Benim için endişelenmenize gerek yok, yine de banyo yapabilirdim. Kendi kendini kokladı. *Ayılar.*"

"Üff! Kokmuş!" diye katıldı Joe. Göle doğru yürüdüler. "Dinle Potts, Peynirsurat'ın konuşmalarına kulak misafiri olduk. Ondan bahsetmemem için senden kurtulmayı planlıyor. Böylece fidyenin hepsini alacaktı. Ayıların seni öldürmesini istiyordu. Öyle söyledi."

"Umurumda değil. Eve gitmeyeceğim," dedi Timothy. "Ailem benim altı milyon papelcik etmeyeceğimi düşünüyorsa burada kalırım." Ve sert bir şekilde banka oturdu.

"TIMOTHY!" Bay Peyniradam'dı; onlara doğru geliyordu.

"Eyvah! Kaç!" diye bağırdı Joe.

Peyniradam hızlanınca Joe da bacağını uzattı. Kâhya tökezledi ve kısa parmaklıları aşarak göle düştü. Düşerken çok su sıçrattığı gibi ördekler, otlar ve balıklar da havada uçuştu.

"Hay Allah!" dedi Laurie. "İkinci kez kıyafetleriyle yüzmeye gidiyor."

Timothy goril kafesine yöneldi. Joe ve Laurie de onu takip ettiler.

Peyniradam sudan çıktı. Kafasına ot yapışmıştı. Ördekler sinirlice ona bağırıyorlardı. Kıyafetlerinden sular damlayarak kıyıya çıktı ve Timothy'nin arkasından sessizce kaldı.

8

Güçlü Max

Timothy sıskaydı, ama iyi koşabiliyordu. Joe ve Laurie ona yetişmeden önce goril kafesinin içinde kocaman gümüş sırtlı bir goril olan Güçlü Max'la birlikteydi.

"Ah canım," dedi Joe, burnunu gözlükleriyle sıkıştırarak.

"Ya Timothy gorille aynı dili konuşmuyorsa? Ne olacak?" dedi Laurie nefesi kesilerek. "Çocuk kafayı yemiş!"

Goril, derin siyah gözleriyle Joe ve Laurie'ye baktı ve yavaşça muzun kabuğunu soydu.

Timothy nazikçe Güçlü Max'a yaklaşmaya başladı. Seyirci kalabalığı toplandı. Hayvanat bahçesindeki herkes gelmişti.

"Çık oradan! Geri dön!" diye seslendiler hayvanat bahçesindeki ziyaretçiler. "O hayvan tehlikeli!"

Timothy havalı bir şekilde dik dik baktı. Eliyle uzaklaşmalarını işaret etti.

"Çocuk kendini içeri kilitledi," dedi Güçlü Max'ın bakıcısı. Max çok sinirlidir, hem de çok. Ne yapacağını kimse bilemez," diye ekledi tırnaklarını yiyerek.

Timothy kocaman Güçlü Max'ın yanına yavaşça yaklaştı ve elini gorilin tüylü dizine koydu. Güçlü Max şaşırdı. Önce küçük pembe ele baktı, sonra Timothy'e. Max yavaşça müthiş siyah pençesini kaldırdı ve Timothy onu tuttu. Usulca okşadı.

Yaşlı bir kadın bayıldı.

· Güçlü Max ağzını Timothy'nin yanağına yaklaştırdı —izleyiciler nefeslerini tuttular— sonra büyük goril siyah lastik gibi dudaklarıyla Timothy'nin kulağını nazikçe kemirdi.

Kalabalık rahatladı.

Max kocaman kollarını Timothy'nin dar omuzlarında yavaş yavaş kaydırdı ve onu muazzam göğsüne bastırdı. Onu nazikçe sıktı.

Genç bir kadın bayıldı.

"Bu çocuk bir ölü kadar başarılı!" diye bağırdı gorilin bakıcısı. "Aman Allah'ım!" diye ekledi.

"Orada başka biri daha var! O aptal oraya nasıl girdi? Ne yapıyor?"

Oradaki Bay Peyniradam'dı. Gözlerinde nefret dolu bakışla, sinirden gıcırdattığı sarı dişlerini göstere göstere Timothy'e doğru sürünerek gidiyordu.

Hiçbir suretle Güçlü Max'ı fark etmiş görünmüyordu.

Şık siyah takım elbiseli hayvanat bahçesi görevlisi elinde telsiz telefonla göründü. "Ne oluyor?" diye sordu.

"O çocuk Timothy Potts-Smythe," dedi Joe. "Multi milyonerin kaçırılan oğlu."

"Ah, hayır!" dedi şık adam, elini alnına götürerek. "Neden fakir bir ana-babanın umursamadığı adi bir çocuk değil? Neden böyle şeyler hep beni bulur?"

"Belki küçükken iğrençtiniz," dedi Laurie.

Şık adam suratını astı.

"Ve," diye devam etti Joe, "Sanırım diğer adamın da kaçıran kişi olduğunu bilmelisiniz."

"Polisin gelmesi daha iyi olur," dedi gorilin bakıcısı.

"Bana biraz aspirin getirseniz daha iyi olur," dedi şık adam.

Güçlü Max yeni arkadaşını sevdi. Timothy'nin saçlarını ürpertici bir şekilde karıştırdı. Timothy'nin boynunu öptü ve kulağını emdi. Timothy gülümseyerek gorilin dizine hafifçe vurdu ve ona goril dilinde bir şeyler söyledi.

İkisi de Bay Peyniradam'ın sürünerek arkalarından geldiğinin farkında değildi.

Kâhya, Timothy'i izlemeye o kadar yoğunlaşmıştı ki, nereye gittiğine bile bakmıyordu. Oradaki goril dışkısının üzerine bir güzel bastı. Ayağı kaydı ve kıçının üzerine düştü.

"Küt!" Sert bir şekilde Güçlü Max'ın arkasına düştü.

Güçlü Max birden irkildi. Burun delikleri genişledi. Kaşlarını yavaşça kaldırdı. Dönmeden, kollarını Timothy'den çekti ve ayağa kalktı.

Ayaktayken otururkenkinden kat kat daha uzundu.

Hâlâ etrafına bakmamıştı.

Bembeyaz kocaman dişlerini gösterdi, derinden yavaşça homurdandı ve göğsünü yumrukladı. Sonra etrafında döndü, Bay Peyniradam'ı kollarından tuttu ve havaya kaldırdı.

"İndir beni!" diye bağırdı Bay Peyniradam. "İndir... off!" Korkunç bir hırıltıyla soluklandı.

Goril adamı biraz daha sıktı.

"Ooofff!"

Bay Peyniradam morarmaya başladı. Güçlükle tekmeliyordu.

Güçlü Max adamı kayıtsızca baş aşağı çevirdi ve kafasını iğrenç bir şeye batırdı, sonra da tutup saçıyla yeri süpürdü. Ardından sallanan lastiği tuttu ve Bay Peyniradam'ı ortasındaki küçük deliğe

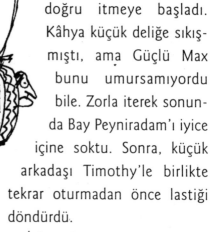

doğru itmeye başladı. Kâhya küçük deliğe sıkışmıştı, ama Güçlü Max bunu umursamıyordu bile. Zorla iterek sonunda Bay Peyniradam'ı iyice içine soktu. Sonra, küçük arkadaşı Timothy'le birlikte tekrar oturmadan önce lastiği döndürdü.

İzleyenler alkışı patlattılar.

Bayan Potts-Smythe geldi. Camı tıklattı.

"Timothy! Yavrum! İyi misin? Çık, annene gel!" diye yalvardı.

Timothy sanki hayvanat bahçesinde bir gorille el ele tutuşarak oturmak çok normal bir şeymiş gibi hiç acele etmeksizin yavaşça yukarıya baktı. Gorilin kucaklamasının ardından azıcık yerinden oynayan gözlüğünü düzeltti.

"Ah, merhaba anne."

"Yavrum! Çık dışarı! Lütfen!"

"Çitamın olmasına izin verirsen çıkarım," dedi.

"Tabii ki izin vereceğim. Ne istersen!"

"Söz ver!"

"Tamam, söz veriyorum."

"Ayrıca küçük bir suaygırım da olacak."

"Ne istersen!"

Timothy gorilin küçük, tüylü kulağına bir şeyler fısıldadıktan sonra ayağa kalkıp kapıyı açtı.

Annesinin kollarına atıldı.

Kalabalık alkışladı. Televizyon kamerası o anı görüntüledi. Muhabir mikrofonu Timothy'e tuttu.

"Timothy, orada oldukça hayret verici bir marifet sergiledin," dedi: "Güçlü Max'tan nasıl kurtuldun?"

"Ona televizyonda olduğunu ve uslu olursa üzüm getireceğimi söyledim. Onları anlarsanız kolay olur. Ben onları anlıyorum, çünkü onları seviyorum. Anne, beni öpmeyi bırak artık. Anneciğim, bana bir çita ve küçük bir suaygırı alacağına söz verdin!"

"Evet canım, evet, ne istersen."

"Harika, çünkü çitam ve suaygırım olursa onların yaşayacağı bir safari parkına ihtiyacım olacak!"

"Ah, *Timothy!*"

Macera bitmek üzereydi.

Bay Peyniradam hapse girmişti ve Timothy de ailesiyle birlikte evine dönmüştü.

Joe, Laurie ve Theo, Clinky Monkey ile onu ziyarete gittiler.

"Timothy isterse, Clinky Monkey'yi ona geri vermeliyiz," dedi Joe.

"Onun kalmasını istiyorum," dedi Laurie.

"O bizim sayılır."

"Onu seviyorum," dedi Theo.

Yeni kâhya Potts-Smythe'lerin büyük evinin kapısını açtı. Gülümseyerek çocuklara oturma odasını gösterdi. Güzel dişleri vardı. Sevimli bir kâhyaydı.

Theo, Timothy'i görür görmez, yumruklarını havaya kaldırarak ona yöneldi.

"Clinky Monkey'yi alamazsın!" dedi. "Almaya kalkarsan seni döverim!"

"Seni küçük kabadayı," dedi Timothy geriye çekilerek.

"Hayır, küçük değil, büyük kabadayıyım!" dedi Theo.

"Şunu söylemeliyim ki, küçük kardeşim olmadığına sevindim," dedi geniş bir koltukta oturan Timothy, "Tatlı olmana rağmen."

"Ben tatlı değilim!" diye bağırdı Theo. "Köpeğimi istiyorum."

"Ah, alabilirsin," dedi Timothy. "Çitam ve safari parkım olacağı için Afrika'ya gitmeliyim. Çok meşgul olacağım. Clinky'e bakamam."

"Peki ya bu tasma?" diye sordu Joe.

"Ah, onu alabilirsiniz."

"Ama gerçek pırlanta gibi duruyorlar," dedi Laurie.

"Öyleler." Büfenin çekmecesini açtı; ağzına kadar pırlantalarla doluydu. "Potts-Smythe elmas madenlerini hiç duymadınız mı? Geldikleri yerde daha çok var. Yine de aslan ya da kaplanı pırlantaya tercih ederim."

"Ben de," dedi Theo. "Ya da köpeği."

"Her şeye rağmen yardım etmeye çalıştığınız için teşekkür ederim," dedi Timothy. "Tufty'i, yani Clinky'i de seviyorum. Gitmeseydim, ona bakardım. Eğer safari parkımda çalışmak isterseniz, tek yapmanız gereken haber vermek."

"Potts-Smythe'lerin evi harikaydı, değil mi?" dedi Joe eve giderken. "Timothy'nin ne müthiş oyuncakları var!"

"Pırlantalar ne güzeldi!" dedi Laurie.

"Tasma bir servet ediyor olmalı!" dedi Joe. "Gerçek pırlanta!"

"Hayır, yapamazsın," dedi Theo.

"Hayır, neyi yapamam?"

"Onu *satacağını* söyleyeceksin. Yapamazsın. O Clinky Monkey'nin ve onu seviyor."

"Ama Theo, o parayla binlerce tasma alabiliriz!"

"Clinky Monkey bütün Bristow'daki tek pırlanta tasmalı köpek," dedi Theo. "Öyle kalmasını istiyorum."

Ve öyle de kaldı.

Pupa Yayınları'nda
Çocuk Kitapları